Receitas de SUCESSO

Ana Maria Braga

Cassoulet

2 horas | 8 porções

- 300 g de feijão-branco deixado de molho de véspera e escorrido
- ½ colher (chá) de sal
- 350 g de linguiça de frango
- 1 colher (sopa) de azeite de oliva
- 1 colher (sopa) de cebola picada
- ½ lata de tomate pelado
- 1 cenoura cortada em cubos
- 350 g de peito de frango cozido e desfiado
- 1 tablete de caldo de galinha sem gordura
- 2 xícaras de água quente
- salsinha para decorar

1 Cozinhe o feijão-branco em água com um pouco de sal. Assim que estiver cozido, escorra e reserve.

2 Corte a linguiça de frango em rodelas e doure em uma frigideira antiaderente.

3 Numa panela, aqueça o azeite e doure a cebola. Em seguida, adicione o tomate pelado. Deixe refogar bem. Acrescente a cenoura, o frango cozido e desfiado, a linguiça dourada e o feijão. Misture.

4 Dissolva o caldo de galinha na água quente e junte aos outros ingredientes. Deixe cozinhar por aproximadamente 5 minutos. Sirva decorado com salsinha picada.

30 minutos · 4 porções

Escalopes flambados

1. Tempere os medalhões com a pimenta e o sal. Derreta a manteiga em uma frigideira de bordas altas e frite os medalhões até ficarem dourados.
2. Coloque o conhaque em uma concha e acenda uma boca do fogão ao lado da frigideira onde está preparando os filés. Aproxime a concha do fogo com cuidado, até incandescer. Despeje o líquido em chamas sobre os filés. Depois que o álcool evaporar, o fogo se apagará sozinho.
3. Junte o alecrim e cozinhe por 1 minuto para desprender o aroma e dar gosto. Acrescente o molho de tomate e o creme de leite e deixe ferver por 5 minutos. Desligue e sirva acompanhado de arroz à grega.

4 medalhões de filé-mignon
uma pitada de pimenta-do-reino branca
½ colher (chá) de sal
2 colheres (sopa) de manteiga
½ xícara de conhaque ou cachaça
um ramo de alecrim
1 xícara de molho de tomate
½ xícara de creme de leite fresco

Puchero

1 hora • 8 porções

- 1 colher (sopa) de azeite de oliva
- 1 cebola bem picada
- 2 dentes de alho bem amassados
- 100 g de linguiça de frango
- 400 g de coxão mole, sem gordura aparente, cortado em cubos
- ½ xícara de água
- 1 pimentão verde cortado em cubos pequenos
- 2 tomates sem pele e sem sementes picados
- 2 cenouras médias cortadas em cubos pequenos
- 3 xícaras de grão-de-bico cozido
- 3 xícaras de repolho fatiado
- ½ xícara de salsinha picada

1. Aqueça o azeite e refogue a cebola e o alho. Junte a linguiça e a carne e vá mexendo até dourar de todos os lados.
2. Coloque a água, o pimentão, os tomates e a cenoura e deixe cozinhar até amaciar.
3. Acrescente o grão-de-bico cozido e deixe apurar. Desligue o fogo, junte o repolho e a salsinha, mexa e deixe tampado por 5 minutos. Sirva.

Picadinho bovino

1 hora | **6 porções**

1. Corte o acém em pedaços médios.
2. Coloque o óleo em uma panela, pique a cebola e o alho e deixe dourar. Acrescente a carne e frite. Adicione o vinho e o tomate. Junte a água, o sal e deixe cozinhar.
3. Cozinhe as batatas e as cenouras e reserve.
4. No término do cozimento da carne, incorpore a cenoura, as batatas bolinhas já cozidas, os champignons, as ervilhas, o pimentão e o louro e mexa delicadamente. Coloque em uma travessa, espalhe a cebolinha e sirva.

600 g de acém
1 colher (sopa) de óleo
½ cebola
1 dente de alho
¼ de xícara de vinho tinto
1 tomate pequeno picado e sem sementes
1½ xícara de água
1 colher (chá) rasa de sal
5 batatas bolinhas pequenas
3 cenouras pequenas
½ xícara de champignons laminados
⅓ de xícara de ervilhas
1 pimentão amarelo pequeno picado
2 folhas de louro
cebolinha a gosto picada

Paçoca de carne-seca

50 minutos — 7 porções

- 200 g de carne-seca
- 2 colheres (sopa) de óleo
- 1 cebola grande picada
- 3 dentes de alho picados
- 2 xícaras de farinha de mandioca

1. Dessalgue a carne-seca em água fervente. Troque a água três vezes e, na última troca, deixe ferver. Desfie a carne e reserve.
2. Coloque em uma panela o óleo, a cebola e o alho. Deixe dourar. Adicione a carne-seca. Refogue até que a carne esteja sequinha.
3. Acrescente a farinha, mexendo sempre para não grudar no fundo da panela. Transfira para uma travessa e sirva.

Medalhão ao molho madeira

1 hora
4 porções

1. Em um recipiente, coloque o vinho, o alho, a pimenta e o molho inglês. Deixe a carne marinar por no mínimo 20 minutos em local refrigerado.
2. Retire, escorra bem e tempere com o sal. Aqueça o azeite em uma frigideira antiaderente e grelhe os medalhões. Reserve.
3. Na mesma frigideira, coloque os ingredientes da marinada e a farinha diluída na água.
4. Vá mexendo até que encorpe. Junte os cogumelos e sirva sobre a carne.

½ xícara de vinho madeira
3 dentes de alho amassados
uma pitada de pimenta-do-reino
1 colher (sopa) de molho inglês
4 medalhões de filé-mignon
1 colher (chá) de sal
1 colher (chá) de azeite de oliva
1 colher (sopa) de farinha de trigo
2 colheres (sopa) de água
¼ de xícara de cogumelos em conserva cortados ao meio

Isca de filé-mignon à provençal

45 minutos — 4 porções

- 1 kg de filé-mignon
- sal e pimenta-do-reino a gosto
- azeite o suficiente para refogar a carne e temperos
- ½ cebola picada
- 3 tomates sem pele e sem sementes cortados em cubinhos
- 2 dentes de alho picados
- ⅔ de xícara de vinho branco
- 1 lata de molho de tomate
- 2 colheres (sopa) de azeitonas pretas picadas
- 2 colheres (sopa) de salsinha picadinha
- 1 colher (sopa) de folhas de manjericão

1. Corte a carne em tirinhas. Tempere com sal e pimenta.
2. Numa frigideira, refogue a carne, aos poucos, com azeite e reserve.
3. Em outra panela, coloque um pouco de azeite e refogue a cebola, o tomate e o alho.
4. Acrescente o vinho branco, deixe reduzir pela metade, junte o molho de tomate e as azeitonas pretas.
5. Coloque a carne e cozinhe por uns 5 minutos. Sirva quente, salpicada com a salsinha e o manjericão.

40 minutos — **4 porções**

Filé grelhado ao molho de açaí

1. Tempere a carne com sal e pimenta e reserve.
2. Numa panela antiaderente, coloque o vinagre, o alho, o açúcar mascavo e o tomilho. Junte os tomates e cozinhe até reduzir um pouco.
3. Transfira para o liquidificador e adicione a polpa do açaí. Bata até ficar homogêneo.
4. Leve essa mistura de novo ao fogo baixo, misture o amido de milho e mexa sempre até engrossar. Reserve aquecido.
5. Grelhe os bifes até dourar. Disponha em um prato e sirva com o molho de açaí quente.

4 bifes de filé-mignon
sal e pimenta-do-reino a gosto
½ colher (chá) de vinagre balsâmico
1 dente de alho picado
1 colher (sopa) de açúcar mascavo
folhas de tomilho a gosto
1 lata de tomate pelado
40 g de polpa de açaí
1 colher (chá) de amido de milho

Picanha ao molho indiano

1h30 — 10 porções

1 peça de picanha com a gordura
sal grosso a gosto
1 vidro de leite de coco (200 ml)
1½ xícara de suco de laranja
½ colher (chá) de curry em pó
sal refinado a gosto
1 colher (sopa) de amido de milho

1 Tempere a picanha com o sal grosso. Leve à churrasqueira para grelhar em braseiro médio até o ponto desejado. Se não tiver churrasqueira, asse no forno, coberta por papel-alumínio, até dourar.
2 Em uma panela, coloque o leite de coco, o suco de laranja, o curry, o sal refinado e o amido de milho. Leve ao fogo, mexendo sempre até engrossar.
3 Fatie a picanha e sirva regada com o molho de curry.

Bracciola de lombo ao molho de vinho e tomate

50 minutos | 6 porções

1. Tempere os bifes de lombo com o sal e o alho.
2. Coloque, sobre cada bife, um palito de pimentão, um de cenoura e uma folha de sálvia. Enrole e prenda com palitos de madeira.
3. Refogue as bracciolas no azeite até dourar. Adicione a cebola, mexa e acrescente o vinho, o purê de tomate e a água.
4. Tampe, abaixe o fogo e deixe cozinhar por cerca de 30 minutos ou até a carne amaciar e o molho encorpar. Na hora de servir, adicione a salsinha.

6 bifes de lombo de porco magro cortados finos
1 colher (chá) de sal
1 dente de alho amassado
6 palitos de pimentão verde
6 palitos de cenoura
6 folhas de sálvia
palitos de madeira para prender a carne
1 colher (chá) de azeite
1 cebola picada
½ xícara de vinho tinto
½ xícara de purê de tomate
2 xícaras de água
salsinha fresca a gosto

Frango indiano

30 minutos · 4 porções

400 g de peito de frango cortado em cubos
1 cebola picada
½ xícara de talos de salsão picados
2 maçãs sem casca cortadas em cubos
1 xícara de água fervente
1 colher (sopa) de curry em pó
1 colher (sopa) de farinha de trigo
1 colher (chá) de sal
salsinha picada para salpicar

1 Grelhe o frango em uma panela antiaderente até dourar. Acrescente a cebola e o salsão e refogue um pouco.
2 Junte o restante dos ingredientes, abaixe o fogo e cozinhe até o frango ficar macio. Se necessário, acrescente mais água durante o cozimento.
3 Salpique a salsinha e sirva.

Filé de frango ao molho de beterraba

40 minutos | **6 porções**

1. Tempere o filé de frango com o molho de soja e a salsinha. Deixe descansar por 30 minutos.
2. Doure os filés aos poucos em uma frigideira antiaderente. Reserve.
3. Aqueça o azeite e doure a cebola. Junte a beterraba, acrescente um pouco de água e deixe cozinhar até ferver.
4. Espere amornar e misture o iogurte e o sal. Sirva sobre os filés e salpique a salsinha.

500 g de filé de frango
1 colher (chá) de molho de soja
1 colher (sopa) de salsinha picada
1 colher (chá) de azeite de oliva
1 cebola cortada em tiras finas
1 beterraba ralada
1 xícara de iogurte natural
½ colher (chá) de sal
salsinha para salpicar

Aves

Escondidinho de frango com abóbora

1h30 — 8 porções

suco de 1 limão
1 colher (sopa) de azeite
1 colher (sopa) de colorau
½ colher (chá) de sal
pimenta-do-reino e cominho
   a gosto
250 g de peito de frango cortado
   em cubos pequenos
¼ de abóbora-moranga
   descascada e cortada em cubos
1 cebola fatiada
2 colheres (sopa) de queijo
   parmesão ralado

1 Faça uma marinada com o suco de limão, o azeite, o colorau, o sal, pimenta e cominho. Deixe o frango nessa mistura na geladeira por no mínimo 3 horas.
2 Cozinhe a abóbora até ficar bem macia. Amasse bem com o garfo até virar um purê.
3 Esquente uma frigideira antiaderente e coloque o frango com a marinada. Deixe ficar bem dourado. Depois, acrescente a cebola e cozinhe até ficar macia.
4 Coloque em um refratário médio e cubra com o purê de abóbora. Polvilhe queijo ralado e leve ao forno preaquecido até gratinar.

Frango xadrez

40 minutos | 10 porções

1. Em uma frigideira ou panela grande, misture a metade do azeite, a cebola, o alho e refogue. Retire e coloque em um prato.
2. Na mesma panela, coloque o sal, o restante do azeite e refogue os pimentões e os cogumelos por 5 minutos. Tire e coloque em outro prato.
3. Ainda na mesma panela, coloque o frango e frite até dourar.
4. Coloque todos os ingredientes novamente na frigideira, misture bem com uma colher de pau e refogue por mais 2 minutos.
5. Em uma xícara, misture o shoyu, o amido de milho e a água. Mexa bem e junte na mistura de frango. Cozinhe mexendo constantemente até formar um molho espesso.
6. Coloque em uma travessa e polvilhe com amendoim. Sirva quente.

- 2 colheres (sopa) de azeite de oliva
- 2 cebolas médias cortadas em cubos
- 2 dentes de alho esmagados
- ½ colher (chá) de sal
- 1 pimentão verde cortado em cubos
- 1 pimentão vermelho cortado em cubos
- 1 pimentão amarelo cortado em cubos
- 1 xícara de cogumelos em conserva cortados ao meio
- 500 g de filé de frango sem pele cortado em cubos
- ¼ de xícara de shoyu
- 1 colher (sopa) de amido de milho
- ½ xícara de água
- 2 colheres (sopa) de amendoim torrado

15 • Aves

Peru ao molho de mostarda de Dijon

30 minutos | 6 porções

6 filés de peru
suco de ½ limão
sal e pimenta-do-reino branca a gosto
2 colheres (sopa) de mostarda de Dijon
1 colher (chá) de tomilho
1 colher (sopa) de farinha de trigo
¼ de cebola média
½ xícara de leite
1½ xícara de creme de leite fresco

1. Tempere os filés de peru com o limão, o sal e a pimenta-do-reino. Aqueça uma frigideira e grelhe os filés até o ponto desejado. Reserve.
2. Bata no liquidificador a mostarda, o tomilho, a farinha de trigo, a cebola e o leite. Transfira para uma panela e junte o creme de leite fresco.
3. Leve ao fogo e mexa até engrossar. Acerte o sal e desligue. Sirva os filés de peru com o molho.

Bacalhau assado à moda baiana

1 hora · 4 porções

1. Coloque o bacalhau em uma tigela e tempere com o alho, o sal e a pimenta.
2. Corte quatro quadrados de papel-alumínio e arrume, sobre cada quadrado, duas fatias de tomate e por cima coloque uma posta de bacalhau. Regue com 4 colheres (sopa) de azeite e feche os embrulhos.
3. Leve ao forno preaquecido em temperatura média por 30 minutos ou até que o bacalhau esteja cozido.
4. Em uma panela, aqueça o azeite restante, doure a cebola e o gengibre. Adicione o leite de coco, o louro, a noz-moscada, a páprica, a salsinha, a cebolinha e o sal. Ferva por 5 minutos, sirva com o bacalhau e polvilhe o amendoim.

- 4 postas pequenas de bacalhau dessalgado
- 2 dentes de alho picados
- sal e pimenta-do-reino a gosto
- 8 fatias grossas de tomates orgânicos
- 6 colheres (sopa) de azeite orgânico
- ½ cebola picada
- 1 colher (chá) de gengibre ralado
- 1 vidro de leite de coco
- ½ colher (chá) de louro em pó
- noz-moscada a gosto
- uma pitada de páprica picante
- 2 colheres (sopa) de salsinha picada
- 1 colher (sopa) de cebolinha picada
- ½ xícara de amendoim picado

Atum em crosta de castanhas

30 minutos — 6 porções

- 500 g de atum fresco em filé
- 1 colher (chá) de sal
- 1 colher (sopa) de salsinha picada
- ½ xícara de castanha de caju picada
- ½ xícara de castanha-do-pará picada
- 1 colher (sopa) de azeite de oliva

1 Tempere o atum com o sal.
2 Em um recipiente, misture a salsinha e as castanhas. Passe o peixe por essa mistura até ficar completamente empanado.
3 Aqueça bem uma frigideira antiaderente com o azeite em fogo alto e coloque o atum. Deixe-o dourar e vire para dourar o outro lado. Retire e sirva quente ou frio. Ele ficará cru no centro.

Peixes • 18

Costela de tambaqui com farofa

1 hora • 12 porções

1. Tempere as costelas de tambaqui com o suco de limão, sal e pimenta-do-reino. Leve ao forno até dourar.
2. Em uma panela, aqueça o óleo e frite o bacon e a cebola até dourarem. Junte as azeitonas, o milho, os tomates, a pimenta e a água. Deixe cozinhar um pouco até os tomates amolecerem, tempere com sal e adicione a farinha de milho, mexendo rapidamente. Deixe aquecer e sirva acompanhando as costelas de tambaqui.

2,5 kg de costelas de tambaqui
suco de 2 limões
sal e pimenta-do-reino a gosto
2 colheres (sopa) de óleo
200 g de bacon picado
2 cebolas grandes picadas
½ xícara de azeitonas verdes picadas
½ lata de milho-verde em conserva
2 tomates sem pele e sem sementes picados
1 pimenta vermelha picada
1 xícara de água
4 xícaras de farinha de milho em flocos

Moqueca de peixe

40 minutos 4 porções

- 1 kg de cação ou robalo em postas
- 1 colher (chá) de sal
- 4 colheres (sopa) de suco de limão
- 4 colheres (sopa) de coentro picado
- 1 colher (sopa) de azeite de oliva
- 1 cebola grande cortada em rodelas
- 2 tomates médios cortados em rodelas
- 2 pimentões verdes médios cortados em rodelas

1 Tempere as postas de peixe com sal, suco de limão e coentro.

2 Em uma panela grande, coloque o azeite e as postas de peixe temperadas. Por cima, distribua os demais ingredientes (cebola, tomates e pimentões). Tampe a panela, leve ao fogo alto e deixe ferver. Abaixe o fogo e cozinhe até o peixe ficar macio (cerca de 25 minutos). Sirva a seguir, com arroz branco.

Peixes • 20

35 minutos | 8 porções

Ninhos de salmão

2 xícaras de tiras médias de salmão fresco
1 talo de alho-poró fatiado fino
sal e pimenta-do-reino a gosto
16 fatias largas de limão-taiti
½ xícara de vinho branco seco
½ embalagem de creme de leite
4 colheres (sopa) de cebolinha fatiada fina

1. Misture, em uma vasilha funda, o salmão com o alho-poró e tempere com sal e pimenta. Arrume sobre duas fatias de limão o salmão com alho-poró formando um ninho. Passe para uma assadeira e reserve.
2. Coloque metade do vinho dentro de um borrifador e borrife todos os ninhos. Cubra com papel-alumínio e leve ao forno preaquecido em temperatura média até que o salmão esteja cozido.
3. Em uma panela, coloque o vinho restante, reduza um pouco e adicione o creme de leite, a cebolinha, sal e pimenta-do-reino. Sirva com os ninhos.

Penne com aspargos

30 minutos • 3 porções

- 2 dentes de alho amassados
- 1 cebola pequena picada
- 1 colher (chá) de azeite
- 1 xícara de aspargos frescos cortados em pedaços
- ½ xícara de caldo de legumes
- ½ xícara de creme de leite
- 2 colheres (sopa) de manjericão picado
- 2 xícaras de macarrão tipo penne cozido
- 1 colher (sopa) de pistache picado

1. Refogue o alho e a cebola no azeite e junte os aspargos e o caldo de legumes.
2. Mexa por cerca de 5 minutos e adicione o creme de leite e o manjericão.
3. Misture o penne e coloque em uma travessa. Salpique o pistache e sirva.

Macarrão de forno

1. Dissolva a farinha no leite e tempere com o sal e a pimenta. Deixe ferver e misture o macarrão cozido e a carne moída.
2. Coloque a mistura em um refratário, distribua os ovos e o queijo ralado e leve ao forno para gratinar. Salpique a salsinha e sirva.

1 colher (sopa) de farinha de trigo
2 xícaras de leite
½ colher (chá) de sal
pimenta-do-reino a gosto
300 g de macarrão conchinha cozido al dente
2 xícaras de carne moída refogada
2 ovos cozidos picados
2 colheres (sopa) de queijo parmesão ralado
salsinha picada para salpicar

Pad Thai

30 minutos • 4 porções

- 2 xícaras de macarrão de arroz
- 2 dentes de alho amassados
- 1 cebola picada
- 1 colher (sopa) de azeite de oliva
- 300 g de camarões pequenos limpos
- 3 colheres (sopa) de purê de tomate
- 2 colheres (sopa) de vinagre de arroz
- 2 colheres (sopa) de molho de soja
- 1 colher (chá) de açúcar mascavo
- 2 xícaras de brotos de feijão
- ½ xícara de água
- 2 colheres (sopa) de amendoim torrado
- cebolinha a gosto

1. Coloque o macarrão em água fervente, cozinhe por 5 minutos, mexa bem e escorra.
2. Refogue o alho e a cebola no azeite e adicione o camarão. Junte o purê de tomate, o vinagre, o molho de soja, o açúcar mascavo, os brotos de feijão e a água.
3. Deixe cozinhar por 5 minutos, junte o macarrão e misture bem. Salpique o amendoim e a cebolinha e sirva.

Macarrão ao molho tonnato

20 minutos | 4 porções

1. Coloque o atum, o iogurte e o suco de limão no liquidificador. Bata até misturar bem.
2. Transfira o molho para uma travessa e junte a cebolinha e o orégano. Tempere com sal.
3. Despeje o molho sobre o macarrão, salpique a cebolinha e sirva.

1 lata de atum drenado
1 pote de iogurte natural
2 colheres (sopa) de suco de limão
2 colheres (sopa) de cebolinha
1 colher (sopa) de orégano
½ colher (chá) de sal
cebolinha para salpicar
4 xícaras de macarrão tipo penne tricolor cozido al dente

25 • Massas

Espaguete com frango defumado e espinafre

30 minutos — 3 porções

- 1 cebola pequena picada
- 2 dentes de alho picados
- 1 colher (sopa) de azeite de oliva
- 1 xícara de frango defumado desfiado
- 4 tomates sem pele e sem sementes picados
- 2 xícaras de folhas de espinafre
- ½ colher (chá) de sal
- 250 g de macarrão tipo espaguete cozido al dente
- ½ xícara de mozarela ralada

1 Doure a cebola e o alho no azeite. Junte o frango e refogue. Adicione os tomates e cozinhe acrescentando o espinafre e o sal. Misture o macarrão ao molho e sirva salpicado com a mozarela ralada.

Trouxinhas ao molho de queijo

1 hora — 4 porções

Massa Bata todos os ingredientes no liquidificador, aqueça uma frigideira untada com óleo e coloque pequenas porções da massa, espalhando-as rapidamente. Doure os dois lados da panqueca e vá empilhando sobre um prato. Reserve.

Recheio Derreta a manteiga em uma panela e junte a farinha de trigo. Deixe fritar um pouco, abaixe o fogo e junte o leite, sem parar de mexer. Adicione o sal, o coentro, o extrato de tomate e o frango. Cozinhe por 5 minutos e desligue.

Molho Em uma panela, misture todos os ingredientes e cozinhe até os queijos derreterem.

Montagem Coloque uma colherada de recheio no centro de cada massa e feche, unindo as bordas e formando uma trouxinha. Amarre as trouxinhas com uma cebolinha e transfira para um refratário. Espalhe o molho de queijo e leve ao forno preaquecido (220 °C) por 15 minutos.

Massa
1 ovo
3 colheres (sopa) de farinha de trigo
2 colheres (sopa) de amido de milho
½ xícara de leite
1½ colher (sopa) de espinafre em pó
½ colher (chá) de fermento em pó
uma pitada de sal

Recheio
½ colher (sopa) de manteiga
½ colher (sopa) de farinha de trigo
1 xícara de leite
½ colher (chá) de sal
1 colher (chá) de coentro fresco
1 colher (sopa) de extrato de tomate
1 xícara de frango cozido e desfiado

Molho
2 xícaras de molho branco pronto
noz-moscada a gosto
½ xícara de champignon fatiado
3 colheres (sopa) de queijo parmesão ralado
3 colheres (sopa) de queijo emmenthal ralado

Suflê de cenoura

1 hora 4 porções

500 g de cenouras raladas
2 colheres (sopa) de arroz cru e lavado
2 xícaras de água
sal a gosto
2 colheres (sopa) de margarina
3 gemas
3 claras em neve
queijo parmesão ralado para polvilhar

1 Em uma panela, misture as cenouras, o arroz, a água e o sal. Cozinhe até quase secar a água.
2 Bata tudo no liquidificador. Despeje em uma vasilha e misture a margarina, as gemas e as claras em neve.
3 Coloque a massa em um refratário para suflê untado com margarina e polvilhado com farinha de rosca.
4 Polvilhe queijo parmesão ralado e leve ao forno preaquecido até assar e dourar, cerca de 30 minutos.

Acompanhamentos • 28

Fritada de brócolis

30 minutos • 6 porções

Ingredientes
1 maço de brócolis
2 dentes de alho picados
2 colheres (sopa) de azeite de oliva
4 ovos
sal e pimenta-do-reino a gosto

Modo de preparo
1. Separe todo o brócolis em buquês e cozinhe no vapor até ficar al dente.
2. Em uma frigideira, refogue os 2 dentes de alho no azeite. Quando começar a dourar, junte o brócolis.
3. Quebre os ovos em um recipiente e bata com um garfo. Tempere com sal e pimenta-do-reino.
4. Despeje os ovos batidos sobre o brócolis e abafe com uma tampa até que os ovos fiquem cozidos. Sirva em seguida.

Acompanhamentos

Abobrinha recheada

1 hora — 6 porções

- 3 abobrinhas
- 2 dentes de alho picados
- 1 colher (chá) de azeite
- 2 tomates picados
- 1 xícara de frango desfiado
- ½ cenoura ralada
- ½ colher (chá) de sal
- queijo mozarela ralado e orégano fresco para salpicar

1. Cozinhe as abobrinhas sem amolecer demais. Corte-as ao meio, escave um pouco da polpa e reserve.
2. Doure o alho no azeite e refogue os tomates. Junte a polpa reservada da abobrinha, o frango, a cenoura e o sal. Pingue um pouco de água e deixe cozinhar.
3. Recheie as abobrinhas, salpique a mozarela e o orégano e leve ao forno para dourar.

20 minutos 6 porções

Ervilha-torta com gengibre

1. Em uma panela antiaderente, aqueça o óleo de gergelim e refogue o alho, o gengibre, a ervilha e a cebola até amaciar.
2. Adicione os tomates, tempere com o sal e deixe cozinhar em fogo baixo até o molho encorpar. Retire, salpique salsinha e sirva.

1 colher (sopa) de óleo de gergelim
1 dente de alho picado
1 colher (sopa) de gengibre ralado
400 g de ervilha-torta
1 cebola média cortada em rodelas
2 tomates sem sementes cortados em cubos
1 colher (chá) de sal
salsinha picada a gosto

Cogumelo sauté

20 minutos
4 porções

4 dentes de alho picadinhos
2 colheres (chá) de azeite de oliva
2 xícaras de cogumelos frescos
½ colher (chá) de sal
pimenta-do-reino a gosto
2 colheres (sopa) de salsinha picada

1 Refogue o alho no azeite e junte os cogumelos, o sal e a pimenta.
2 Vá salteando até que os cogumelos fiquem macios.
3 Salpique a salsinha e sirva.

Enroladinho de repolho

1 hora | **8 porções**

Aqueça uma panela com água e, quando ferver, coloque o repolho. Deixe por 2 minutos e retire. Separe 8 folhas grandes e pique o restante.

Recheio Refogue o alho no azeite e, quando dourar, coloque o repolho picado. Mexa um pouco e misture o restante dos ingredientes. Reserve.

Molho Misture os ingredientes e leve ao fogo até apurar.

Montagem Abra as folhas de repolho reservadas e coloque o recheio. Enrole-as e coloque os enroladinhos em um refratário. Cubra com o molho e leve ao forno por 15 minutos para aquecer bem.

1 repolho branco pequeno

Recheio
2 dentes de alho picados
1 colher (sopa) de azeite de oliva
½ xícara de cenoura cozida cortada em cubos pequenos
½ xícara de brócolis cozido picado
2 colheres (sopa) de castanha de caju picada
4 colheres (sopa) de azeitonas verdes picadas

Molho
4 colheres (sopa) de purê de tomate
¼ de xícara de suco de laranja
1 colher (chá) de amido de milho
2 colheres (sopa) de molho de soja

Cebola recheada com peru e ricota

1h15 · 4 porções

- 4 cebolas grandes
- 2 colheres (sopa) de salsinha picada
- ½ xícara de peito de peru picado
- ½ xícara de ricota
- 3 colheres (sopa) de creme de leite
- 1 colher (chá) de sal
- uma pitada de noz-moscada em pó
- 1 colher (sopa) de azeite

1. Descasque as cebolas, faça um corte na parte superior e, com uma faca pequena, tire parte do miolo. Reserve.
2. Em uma tigela, misture a salsinha, o peito de peru, a ricota, o creme de leite, o sal e a noz-moscada.
3. Disponha o recheio dentro das cebolas, apertando bem e arrume-as em uma assadeira. Cubra com papel-alumínio.
4. Leve ao forno preaquecido em temperatura média (180 °C) por 30 minutos ou até a cebola ficar macia. Retire o papel-alumínio, volte ao forno e deixe por mais 30 minutos ou até dourar. Retire do forno. Ao servir, regue a superfície com o azeite.

Acompanhamentos • 34

Risoto com funghi

40 minutos
3 porções

1. Refogue o alho e a cebola em metade do azeite e junte o arroz.
2. Mexa bem e adicione o vinho, deixando ferver até evaporar.
3. Adicione o cogumelo hidratado e misture. Despeje uma concha de caldo de legumes e deixe cozinhar até o líquido quase secar. Vá despejando o caldo aos poucos, até o arroz ficar cozido.
4. Desligue, misture o restante do azeite, o queijo ralado e a salsinha picada e sirva.

2 dentes de alho amassados
2 colheres (sopa) de cebola ralada
1 colher (sopa) de azeite
1 xícara de arroz arbóreo
¼ de xícara de vinho branco
½ xícara de cogumelos secos hidratados
4 xícaras de caldo de legumes
1 colher (sopa) de queijo parmesão ralado
2 colheres (sopa) de salsinha picada

35 • Acompanhamentos

Beterraba ao molho de mostarda

40 minutos · 4 porções

- 2 beterrabas médias
- 1 colher (sopa) de sementes de mostarda
- 1 colher (chá) de azeite de oliva
- 2 colheres (sopa) de cebola bem picada
- ½ xícara de creme de leite
- 1 colher (chá) de mostarda
- 2 colheres (sopa) de cebolinha picada

1. Cozinhe as beterrabas. Quando estiverem cozidas, descasque e corte em rodelas não muito finas. Reserve.
2. Coloque as sementes de mostarda em uma frigideira com o azeite e a cebola e refogue por 5 minutos.
3. Retire e bata no liquidificador com o creme de leite e a mostarda.
4. Coloque o molho sobre as beterrabas, salpique a cebolinha e sirva.

Acompanhamentos • 36

Carpaccio de tomate

20 minutos · 4 porções

Molho Misture os ingredientes e reserve.
Montagem Em um prato, arrume as rodelas de tomate e, sobre elas, coloque o molho. Decore as laterais com a alface e salpique o queijo sobre o carpaccio. Sirva.

2 tomates caqui cortados em rodelas bem finas
2 xícaras de alface-americana picada
2 colheres (sopa) de queijo parmesão ralado grosso

Molho
1 colher (sopa) de azeite
1 colher (sopa) de suco de limão
2 colheres (sopa) de água
1 colher (chá) de mostarda
4 colheres (sopa) de alcaparras
4 colheres (sopa) de cogumelos em conserva fatiados
1 colher (sopa) de orégano

Rocambole de chocolate com geleia

1h30 — 10 porções

- 5 ovos
- 5 colheres (sopa) de açúcar
- 5 colheres (sopa) de farinha de trigo
- 1 colher (chá) de essência de baunilha
- 1 colher (chá) de emulsificante
- ¾ de xícara de chocolate em pó
- 1 vidro de geleia de laranja
- 1 xícara de castanha-do-pará picada

1. Bata os ovos, o açúcar, a farinha, a baunilha, o emulsificante e o chocolate na batedeira até a massa ficar bem fofa.
2. Em uma assadeira forrada com papel-manteiga, untado com manteiga e polvilhado de farinha, coloque a massa. Asse em forno preaquecido a 180 °C por aproximadamente 15 minutos. Retire do forno e desenforme sobre um pano polvilhado com açúcar.
3. Enrole a massa dando forma ao rocambole.
4. Desenrole, espalhe uma porção de geleia e enrole novamente. Cubra o rocambole com o restante da geleia e salpique com a castanha-do-pará.

Sobremesas

Bom-bocado com calda de maracujá

1 hora • 10 porções

Bom-bocado Coloque o leite, as gemas e as claras no liquidificador e bata bem. Junte o açúcar, o fubá e a farinha. Bata novamente. Retire, coloque em uma tigela e misture o fermento e o coco. Distribua a massa em forminhas de papel próprias para muffins e leve ao forno médio, preaquecido, por aproximadamente 40 minutos. Retire e espere amornar.

Calda de maracujá Misture o suco de maracujá, a água, o amido e o açúcar e leve ao fogo baixo por cerca de 10 minutos. Retire e misture as sementes. Regue os bons-bocados com a calda e sirva.

Bom-bocado
- 1½ xícara de leite
- 2 gemas
- 4 claras
- ½ xícara de açúcar
- 3 colheres (sopa) de fubá
- 3 colheres (sopa) de farinha de trigo
- 1 colher (sopa) de fermento químico em pó
- 100 g de coco ralado desidratado

Calda de maracujá
- 1 xícara de suco de maracujá concentrado
- 1 xícara de água
- 2 colheres (chá) de amido de milho
- 2 colheres (sopa) de açúcar
- sementes de maracujá para enfeitar

• Sobremesas

Flan de café com calda de framboesa

30 minutos — 8 porções

Flan
- 2 xícaras de café pronto adoçado a gosto
- 1 xícara de leite
- 6 colheres (sopa) de leite em pó
- 1 envelope de gelatina em pó sem sabor
- ¼ de xícara de água

Calda
- 1 xícara de geleia de framboesa
- ¼ de xícara de água

Flan No liquidificador, bata o café, o leite, o leite em pó e a gelatina hidratada com a água e dissolvida no micro-ondas ou em banho-maria. Coloque em taças e leve à geladeira para firmar.

Calda Em uma panela, misture a geleia e a água. Deixe ferver, retire do fogo e espere esfriar. Sirva sobre o flan de café.

Panna cotta de pêssego

40 minutos | **6 porções**

Doce de pêssego Descasque os pêssegos e corte em cubos. Coloque em uma panela com o açúcar e leve ao fogo, deixando ferver por 10 minutos. Reserve.

Creme Em uma panela, coloque o leite e a baunilha e leve para ferver. Retire e adicione a gelatina dissolvida na água. Mexa até dissolver bem. Adicione o creme de leite batido no liquidificador com metade do doce de pêssego.

Montagem Coloque a mistura em uma fôrma de pudim média molhada. Leve à geladeira por aproximadamente 3 horas para firmar. Desenforme e sirva com o restante do doce de pêssego por cima. Enfeite com a hortelã.

folhas de hortelã para decorar

Doce de pêssego
8 pêssegos frescos
½ xícara de açúcar

Creme
2 xícaras de leite
1 colher (chá) de essência de baunilha
2 envelopes de gelatina em pó sem sabor
¼ de xícara de água
½ xícara de creme de leite

Pudim de paçoca

1 hora — 10 porções

1 xícara de açúcar para caramelizar

Pudim
4 ovos
1 lata de leite condensado
1 xícara de leite
5 colheres (sopa) de leite em pó
5 paçoquinhas tipo rolha

1. Bata no liquidificador os ingredientes do pudim.
2. Coloque em fôrma caramelizada com o açúcar.
3. Leve ao forno em banho-maria por cerca de 40 minutos.

Sobremesas • 42

30 minutos — 8 porções

Frozen iogurte de laranja

Frozen Bata as claras em neve e, aos poucos, adicione o açúcar. Reserve. Misture o iogurte e o suco. Junte o emulsificante e a essência de baunilha e bata até ficar cremoso. Retire, misture as claras reservadas e leve ao congelador até gelar.

Cobertura Junte as frutas picadas com o suco de laranja.

Montagem Na hora de servir, coloque o frozen iogurte em taças e decore com as frutas. Sirva imediatamente.

Frozen iogurte
3 claras
½ xícara de açúcar
2 potes de iogurte natural
½ xícara de suco de laranja
1 colher (chá) cheia de emulsificante
1 colher (chá) de essência de baunilha

Cobertura
2 bananas cortadas em cubos
1 manga cortada em cubos
1 xícara de uvas verdes sem caroço
½ xícara de suco de laranja

Bolo gelado com ameixa e coco

1h30 — 12 porções

200 g de coco fresco ralado para salpicar

Pão de ló
- 6 ovos
- 6 colheres (sopa) de açúcar
- 6 colheres (sopa) de farinha de trigo

Recheio
- 1 lata de leite condensado
- 1 xícara de leite
- 1 caixinha de creme de leite (200 g)
- 1 colher (sopa) de amido de milho
- ½ xícara de ameixa picada

Cobertura
- 1 frasco de creme de leite fresco (500 ml)
- 2 colheres (sopa) de açúcar

Pão de ló Na batedeira bata os ovos com o açúcar até dobrar de volume. Retire da batedeira e misture delicadamente a farinha de trigo. Coloque em fôrma untada com manteiga e forrada com papel-manteiga e leve ao forno, preaquecido, por cerca de 25 minutos. Retire do forno, espere amornar e desenforme.

Recheio Bata os ingredientes no liquidificador e leve ao fogo sem parar de mexer até engrossar. Espere esfriar.

Cobertura Bata na batedeira o creme de leite com o açúcar até obter o ponto de chantili.

Montagem Corte o bolo em três partes e recheie. Cubra com o chantili e salpique com o coco fresco. Leve à geladeira até o momento de servir. Sirva gelado.

Sobremesas • 44

Torta mil-folhas

1 hora — 6 porções

½ pacote de massa folhada
3 xícaras de leite
4 gemas
3 colheres (sopa) de amido de milho
2 a 3 colheres (sopa) bem cheias de açúcar
1 colher (chá) de essência de baunilha

1. Corte pedaços retangulares da massa folhada, faça furos com um garfo e leve para assar. É necessário 3 retângulos para montar cada torta.
2. Leve metade do leite ao fogo. Assim que ferver, junte as gemas e o amido de milho e mexa com um batedor manual. Quando voltar a ferver, adicione o restante do leite, deixe engrossar e adicione o açúcar. Retire do fogo, aguarde esfriar e acrescente a essência de baunilha.
3. Monte a torta intercalando massa e creme. Finalize com uma camada fina de creme, polvilhe um pouco de açúcar e, se desejar, nozes picadas.

Torta de manga

⏱ 1h30　🍽 10 porções

Massa
- 1 ovo
- 4 colheres (sopa) de margarina sem sal
- 1 colher (chá) de gengibre fresco ralado
- 2 colheres (sopa) de açúcar
- 1 colher (chá) de fermento químico em pó
- 2 colheres (sopa) de farinha de linhaça
- 2 colheres (sopa) de leite
- 1 xícara de farinha de trigo (aproximadamente)

Recheio
- 3 xícaras de manga picada
- 1 colher (sopa) de amido de milho
- 4 colheres (sopa) de açúcar

Massa Bata ligeiramente o ovo com um garfo e reserve 2 colheres (chá). Misture o restante do ovo com a margarina, o gengibre, o açúcar, o fermento, a farinha de linhaça e o leite. Adicione aos poucos a farinha de trigo até obter uma massa firme. Deixe descansar por 20 minutos.

Recheio Misture os ingredientes com cuidado para não desmanchar a manga.

Montagem Abra 2/3 da massa em uma superfície enfarinhada e forre o fundo e as laterais de uma fôrma redonda média de aro removível. Distribua o recheio e reserve. Abra o restante da massa sobre uma superfície enfarinhada, faça recortes com um cortador de biscoitos e cubra a torta. Pincele o ovo reservado e asse em forno médio (180 °C), preaquecido, por cerca de 30 minutos ou até dourar. Sirva quente ou fria.

Índice das receitas

Abobrinha recheada 30
Atum em crosta de castanhas 18
Bacalhau assado à moda baiana 17
Beterraba ao molho de mostarda 36
Bolo gelado com ameixa e coco 44
Bom-bocado com calda de maracujá 39
Bracciola de lombo ao molho de vinho e tomate 11
Carpaccio de tomate 37
Cassoulet 2
Cebola recheada com peru e ricota 34
Cogumelos sauté 32
Costela de tambaqui com farofa 19
Enroladinho de repolho 33
Ervilha-torta com gengibre 31
Escalopes flambados 3
Escondidinho de frango com abóbora 14
Espaguete com frango defumado e espinafre 26
Filé de frango ao molho de beterraba 13
Filé grelhado ao molho de açaí 9
Flan de café com calda de framboesa 40
Frango indiano 12
Frango xadrez 15

Fritada de brócolis 29
Frozen iogurte de laranja 43
Isca de filé-mignon à provençal 8
Macarrão ao molho tonnato 25
Macarrão de forno 23
Medalhão ao molho madeira 7
Moqueca de peixe 20
Ninhos de salmão 21
Paçoca de carne-seca 6
Pad Thai 24
Panna cotta de pêssego 41
Penne com aspargos 22
Peru ao molho de mostarda de Dijon 16
Picadinho bovino 5
Picanha ao molho indiano 10
Puchero 4
Pudim de paçoca 42
Risoto com funghi 35
Rocambole de chocolate com geleia 38
Suflê de cenoura 28
Torta de manga 46
Torta mil-folhas 45
Trouxinhas ao molho de queijo 27

Copyright © 2016 Ana Maria Braga.
Copyright do texto e das fotos © 2016 Alaúde Editorial Ltda.

Todos os direitos reservados. Nenhuma parte desta edição pode ser utilizada ou reproduzida – em qualquer meio ou forma, seja mecânico ou eletrônico – nem apropriada ou estocada em sistema de banco de dados sem a expressa autorização da editora.

O texto deste livro foi fixado conforme o acordo ortográfico vigente no Brasil desde 1º de janeiro de 2009.

Produção editorial: Editora Alaúde
Coordenação: Bia Nunes de Sousa
Revisão: Carla Bitelli, Rosi Ribeiro Melo
Capa e projeto gráfico: Rodrigo Frazão
Imagem da autora: Ricardo Camargo
Fotos: Estúdio Boccato (págs. 3, 5, 6, 8, 9, 10, 16, 17, 19, 21 e 27) e acervo Alaúde
Agenciamento: 2mb Licenciamento, Marketing, Representações

Impressão e acabamento: Ipsis Gráfica e Editora S/A
1ª edição, 2017 (1 reimpressão)

Dados Internacionais de Catalogação na Publicação (CIP)
(Câmara Brasileira do Livro, SP, Brasil)

Braga, Ana Maria
  Receitas de sucesso / Ana Maria Braga. -- São Paulo : Alaúde Editorial, 2016.

ISBN: 978-85-7881-402-1

1. Culinária (Receitas) 2. Gastronomia I. Título.

16-08643   CDD-641.5

Índices para catálogo sistemático:
1. Receitas : Culinária : Economia doméstica 641.5

2017
Alaúde Editorial Ltda.
Avenida Paulista, 1337
conjunto 11, Bela Vista
São Paulo, SP, 01311-200
Tel.: (11) 5572-9474
www.alaude.com.br

Compartilhe a sua opinião
sobre este livro usando a hashtag
#ReceitasDeSucesso
nas nossas redes sociais: